(Je commence à lire)

ISBN 2-203-11015-5

J'ai vu

passer

trois poissons

auteur : Anne-Marie Chapouton
illustrateur : Véronique Arendt

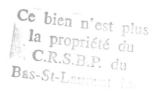

© Casterman 1986.
Droits de traduction et de reproduction réservés pour tous pays.
Toute reproduction, même partielle, de cet ouvrage est interdite.
Une copie ou reproduction par quelque procédé que ce soit,
photographie, microfilm, bande magnétique, disque ou autre,
constitue une contrefaçon passible des peines prévues par la loi
du 11 mars 1957 sur la protection des droits d'auteur.

casterman

— Hé ! Maman,
c'est bizarre,
j'ai vu passer
trois poissons.

—Des pinsons, vraiment, Léon ?

— Non, non, Maman.
Des poissons.
Bleus. Avec des nageoires,
une queue frisée
et des reflets dorés
dans les écailles.

C'est une espèce rare.
Viens voir, vite!

Mais maman répond:
— Non, pas maintenant,
je suis occupée.

—Dommage !
Tu devrais venir voir le spectacle.
Il y a aussi une écrevisse
qui fait de la gymnastique
dans l'arbre.

– Quoi ?
Une saucisse
qui fait de la gymnastique ?

Léon se fâche :
– Maman, tu n'écoutes pas
ce que je te dis !

D'ailleurs, je te préviens
que le brochet du voisin
est en train de poursuivre
tes truites.

— Ah ! Que cet animal est agaçant !

—Mais il nage bien
et il a de belles dents.

Et puis il n'est pas
tellement méchant.

Maintenant, c'est maman
qui se fâche :
— Léon, tape à la vitre
pour le faire partir,
s'il te plaît.

– Voilà, Maman, j'ai tapé.
Et ça a fait peur à une huître.
Elle s'est fermée
et je ne peux plus voir
son diamant dedans.

— Voyons, Léon, dans les huîtres,
il y a des perles, pas des diamants.
Et puis les huîtres sont dans les mers,
pas dans les ruisseaux.

– Comment tu le sais ?
Tu ne viens jamais regarder.
Et puis, de toute façon,
elle s'est envolée.

Maman est surprise :
– Une huître qui vole ?
– Bien sûr, dit Léon.

Dis, je peux faire rentrer
l'étoile de mer?
Elle n'arrête pas de miauler
devant la fenêtre.

— Non, Léon. N'ouvre pas.
L'eau va rentrer.

– Bon alors, moi, je vais dehors.

Maman crie :
– Mets ton scaphandre, Léon.
L'eau est froide, aujourd'hui.

– Oui, oui.
Qu'est-ce que tu veux
que je te ramène ?

Des coquilles d'escargots dorées ?
Ou une carpe qui a avalé
un anneau magique ?

– Eh bien… va donc voir
si les truites ont pondu.

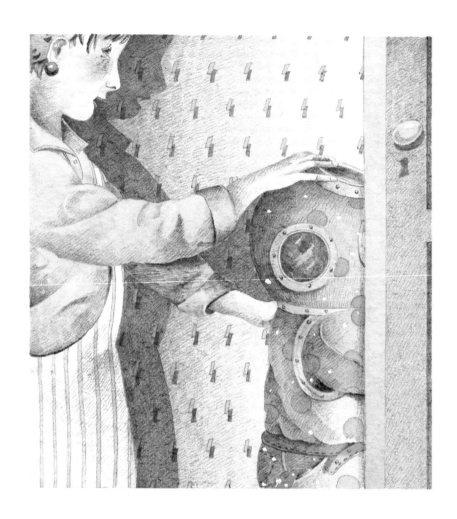

Mais attention.
Ne te fais pas prendre
dans un filet,
et ne mords pas aux hameçons.

—Promis, Maman,
je serai prudent

comme un vrai poisson.